D1249781

Bouquets des quatre saisons

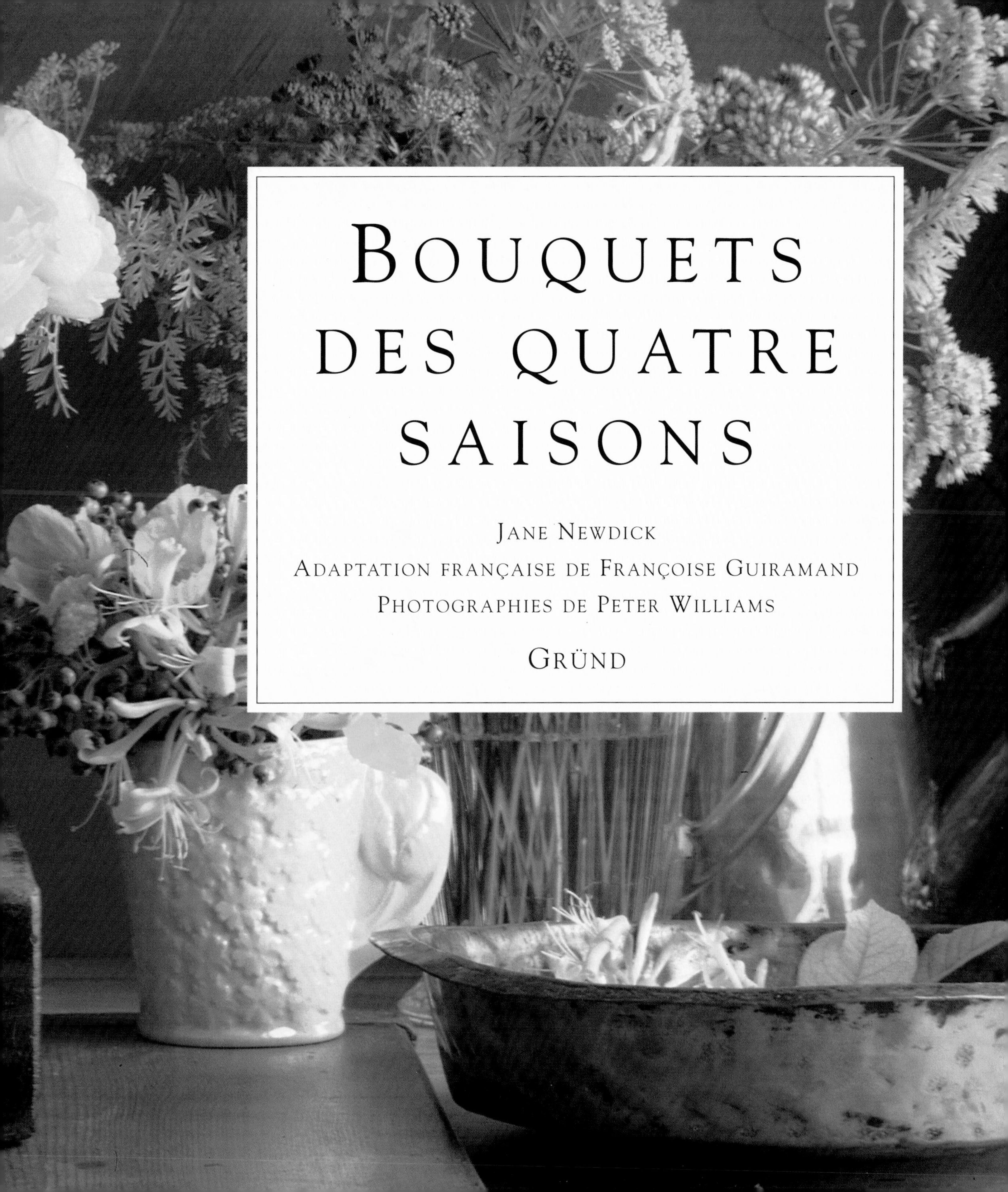

BOUQUETS DES QUATRE SAISONS

JANE NEWDICK

ADAPTATION FRANÇAISE DE FRANÇOISE GUIRAMAND

PHOTOGRAPHIES DE PETER WILLIAMS

GRÜND

Adaptation française
de Françoise Guiramand
Texte original de Jane Newdick
Secrétariat d'édition :
Yasmine Bonhomme

Première édition française 1995
par Librairie Gründ, Paris

ISBN : 2-7000-5670-1

Dépôt légal : janvier 1995
Édition originale 1994 par
George Weidenfeld & Nicolson Ltd
sous le titre original ***Country Flower Style***

Direction éditoriale : Gillian Haslam
Direction artistique : Kit Johnson
Photocomposition : C.R.G. Paris
Imprimé en Italie par Printers Srl, Trente

SOMMAIRE

Les fleurs de saison dans toute leur simplicité sont la façon la plus naturelle de décorer une maison. Jouez avec leurs couleurs, leurs formes, leur parfum, pour les mettre en valeur, et oubliez les arrangements trop compliqués. La simplicité n'exclut pas le raffinement, moins encore le style. Les fleurs sont un plaisir des yeux, sachez en profiter !

Introduction

Un style campagne

Chaque fleur possède son style. Si vous gardez cette idée présente à l'esprit, vous n'aurez aucune difficulté à réussir vos bouquets.

Certains livres savants préconisent des arrangements floraux sophistiqués, vous conseillent d'utiliser les fleurs comme des masses de couleurs à placer en certains endroits précis d'un décor précis, en fonction de ses tons et de ses volumes. Pour moi, les fleurs demandent davantage de simplicité et de spontanéité. Chaque fleur possède sa beauté propre qui mérite d'être mise en valeur : ce peut être l'intensité de sa couleur, la texture particulière de ses pétales, ou encore la grâce de sa tige, ou tout simplement l'élégance de sa corolle. Un conseil, prenez le temps de bien regarder les fleurs dont vous disposez avant de les arranger : vous saisirez vite en quoi chaque espèce est originale, et vous saurez alors faire ressortir cette originalité.

Si vous possédez un jardin, même petit, où faire pousser vos fleurs, vous avez beaucoup de chance. Sinon, consolez-vous. Il existe maintenant des fleuristes ou de simples marchands ambulants qui offrent un assortiment de fleurs et de feuillages dont on n'aurait pas rêvé il y a seulement quinze ou vingt ans.

Les gens choisissent des fleurs parce qu'ils espèrent qu'elles dureront ou bien parce qu'ils en aiment la couleur. Cependant, arrivés chez eux, ces même gens sont soudain tout empruntés et ne savent que faire de leurs fleurs, comme si les arranger en un harmonieux bouquet obéissait à d'obscures règles ignorées d'eux. Surtout, contentez-vous de mettre vos fleurs dans de l'eau, et profitez-en.

Cela dit, si vous recherchez un peu plus d'originalité, voire de style, alors ce livre vous donnera quelques idées qui vous permettront d'avoir une maison fleurie avec raffinement du début du printemps à la fin de l'hiver.

CI-CONTRE Des pots de terre cuite tout simples, et quelques élégantes tulipes rouges. Chacun possède sa beauté propre. Ensemble, ils offrent une décoration originale.

Choisir vos fleurs

Vous avez beaucoup de chance si vous disposez d'un jardin, ou d'une propriété, qui vous permette de fleurir votre maison toute l'année, ou de la décorer avec ce qu'offre la nature à l'état sauvage. Acheter des fleurs, cependant, est chose facile, et l'on trouve sans difficulté des fleurs coupées ou à faire pousser, des feuillages originaux et même des baies. Des fleurs très simples, voisinent avec des espèces beaucoup plus sophistiquées, alors à vous de choisir. En général, si vous vous servez chez un fleuriste, l'on vous vendra des fleurs préparées, c'est-à-dire que l'on aura recoupé leur tige, et qu'elles seront restées dans l'eau. Mais si vous avez un doute ou si vous achetez vos fleurs dans la rue, recoupez, de préférence sous l'eau, l'extrémité des tiges et laissez-les dans l'eau, au frais, un bon moment avant de les disposer en bouquet. N'hésitez pas à utiliser ces produits conservateurs que l'on verse dans l'eau du vase. Ils sont très efficaces.

CI-CONTRE Les fleurs de jardin possèdent un charme particulier, bien éloignées de celles que l'on trouve dans le commerce si souvent forcées.
EN HAUT Les haies sauvages procurent baies et feuillage à profusion.

Les récipients utilitaires

Aux fleurs simples, il faut des récipients simples. Les vases compliqués, trop recherchés, ont quelque chose d'intimidant, et le plus souvent ils ne s'accordent pas avec les fleurs sans artifice dont nous aimons décorer notre intérieur. Pour réussir un bouquet, le choix du contenant est capital. Et quand il s'agit de fleurs rustiques, je vous conseille de passer en revue votre placard de cuisine. Chopes, tasses, bols, pichets, cruches, tous ces objets usuels, qu'ils soient en faïence, en porcelaine, en grès ou autres, conviennent à merveille à certains bouquets simples ou campagnards. Les contenants à col étroit, ou resserrés en leur milieu, sont généralement difficiles à utiliser. Éliminez-les, surtout si vous manquez encore d'assurance en matière de bouquet. Pour des bouquets de fleurs mélangées, choisissez des récipients sobres de couleur et de décor. C'est de ceux-ci d'ailleurs que vous vous servirez le plus souvent. Enfin complétez la gamme de vos contenants en en achetant des modernes ou de plus désuets quand vous en trouvez qui vous plaisent chez un brocanteur ou au marché aux puces.

CI-CONTRE Les formes épurées de certains objets usuels conviennent parfaitement pour de simples arrangements floraux. À vous de marier les décors et les couleurs avec vos fleurs.

Les récipients en verre

Ils sont faciles à utiliser et toujours élégants. Il en existe de formes variées, adaptées à toutes les fleurs, et le plus souvent ils sont assez bon marché, sauf si vous tenez à un Lalique bien sûr, ou à du cristal taillé. Avant d'en acheter cependant, regardez chez vous ce qui peut vous servir de vase.

Et d'abord les verres : le plus petit verre à liqueur comme une grosse chope feront de très jolis vases selon les fleurs que vous y mettrez. De même les carafes et les cruches, si vous avez des fleurs à longues tiges. Je vous signale aussi certains flacons de laboratoire à haut col, ou même des fioles toutes simples, qui font des vases originaux dans lesquels les fleurs se disposent sans difficulté. Pensez aussi à certains pots à confitures d'autrefois ou aux encriers anciens. Vous pouvez grouper ces derniers, ou n'en prendre qu'un et n'y mettre qu'une fleur.

Prévoyez aussi un ou deux grands vases de forme très épurée. Vous en aurez souvent l'usage. Ils pourront être carrés, rectangulaires ou cylindriques, à bords droits ou plus travaillés, l'essentiel est qu'ils soient de grande contenance, et leur simplicité vous permettra de les utiliser en toute occasion, beaucoup plus facilement en tout cas que leurs homologues plus sophistiqués.

Un seul problème avec les récipients transparents, mais en est-ce un réellement ? On voit les tiges des fleurs. Souvent c'est un avantage, d'autant que vous pouvez jouer sur la transparence et disposer dans l'eau des galets ou du sable, voire des billes de verre coloré. Sans oublier bien sûr certains feuillages que l'eau ne détériore pas trop vite.

Faut-il préciser cependant que vos récipients de verre doivent être extrêmement propres, et qu'il vous faudra changer l'eau de vos fleurs très souvent afin qu'elle reste parfaitement claire ?

CI-CONTRE Cet assortiment de récipients en verre, de taille et de forme variées, montre qu'avec un peu d'imagination, tout peut servir de vase.

Les récipients rustiques

Vérifiez le contenu de votre appentis de jardin, si vous en avez un. Nul doute, vous y découvrirez des *vases* originaux : paniers d'osier ou de bois, corbeilles, pots en terre cuite, récipients en fer étamé. Attachez-vous en particulier à l'aspect pratique de ces récipients : peuvent-ils contenir de l'eau, ou faut-il les garnir de mousse florale synthétique ? Seront-ils assez stables, une fois remplis de fleurs ?

Les paniers permettent des arrangements floraux originaux. Il vous en faut au moins trois ou quatre, de forme et de tressage différents : choisissez-en un tout petit que vous garnirez de petites fleurs, ou d'un bulbe en fleurs par exemple, puis deux de taille moyenne : j'en conseillerai un de forme allongée et un autre rond, avec ou sans anse, et enfin un assez grand, plat et peu profond.

Aujourd'hui, les pots de terre cuite servent aussi à présenter des fleurs coupées assorties de feuillages dont le vert se marie bien avec l'argile rouge. Il faut évidemment y mettre un récipient étanche à l'intérieur.

Quant aux récipients en métal, petits seaux et bassines en fer-blanc, ou arrosoirs d'autrefois, ils donneront un style bien particulier à certains de vos bouquets, et leur ton à peine grisé convient à toutes les fleurs.

CI-CONTRE Quelques-uns des trésors que recèle un appentis de jardin : objets en fer étamé, osier, bois, terre cuite et même en châtaignier, pour des bouquets simples mais inattendus.

Les récipients « coup de cœur »

Nous avons tous notre vase favori. Pour les uns, il leur vient de famille, est associé à certains souvenirs d'enfance, à certains lieux aussi. Pour d'autres, il s'agit d'un objet durement marchandé chez un antiquaire ou au marché aux puces, ou encore, un souvenir de voyage, de vacances : chacun a ses raisons de privilégier un type de vases.

Une exquise tasse à moka en fine porcelaine, un petit verre ancien, peuvent servir de contenant très raffiné pour des fleurs exceptionnelles : la première ou la dernière rose de la saison, par exemple, quelques hampes d'un plant de muguet qui n'a pas fleuri depuis des années, ou une délicate fleur de camélia rescapée par miracle d'une violente giboulée ou d'un coup de froid.

Ne choisissez pas n'importe quel vase pour y mettre un bouquet offert pour la Saint-Valentin. De même un bouquet d'anniversaire demandera un contenant en accord avec la circonstance.

Et puis, peu à peu, vos vases s'organiseront d'eux-mêmes, et vous aurez ainsi *la* coupe où déposer la fleur de magnolia à peine éclose, *le* petit vase à col étranglé pour une pivoine unique, éblouissante, et les récipients plus classiques pour les mille et une fleurs des champs que ramassent les enfants, et qui composeront de ravissants bouquets, malgré leur disparité, et même si certaines se fanent plus vite que d'autres.

Vous n'abîmerez pas la porcelaine la plus fine en y mettant des fleurs. Et si parfois l'eau laisse un dépôt sur les parois, remplissez votre contenant d'un mélange de gros sel et de vinaigre dilué dans de l'eau, et laissez reposer quelques heures. Ce procédé est particulièrement efficace pour redonner aux vases en verre ou en cristal taillé, leur transparence et leur éclat d'origine.

CI-CONTRE Dans un coffret ancien quelques pièces d'une exquise porcelaine pour présenter certaines fleurs exceptionnelles ou à utiliser comme vase quand le cœur vous en dit.

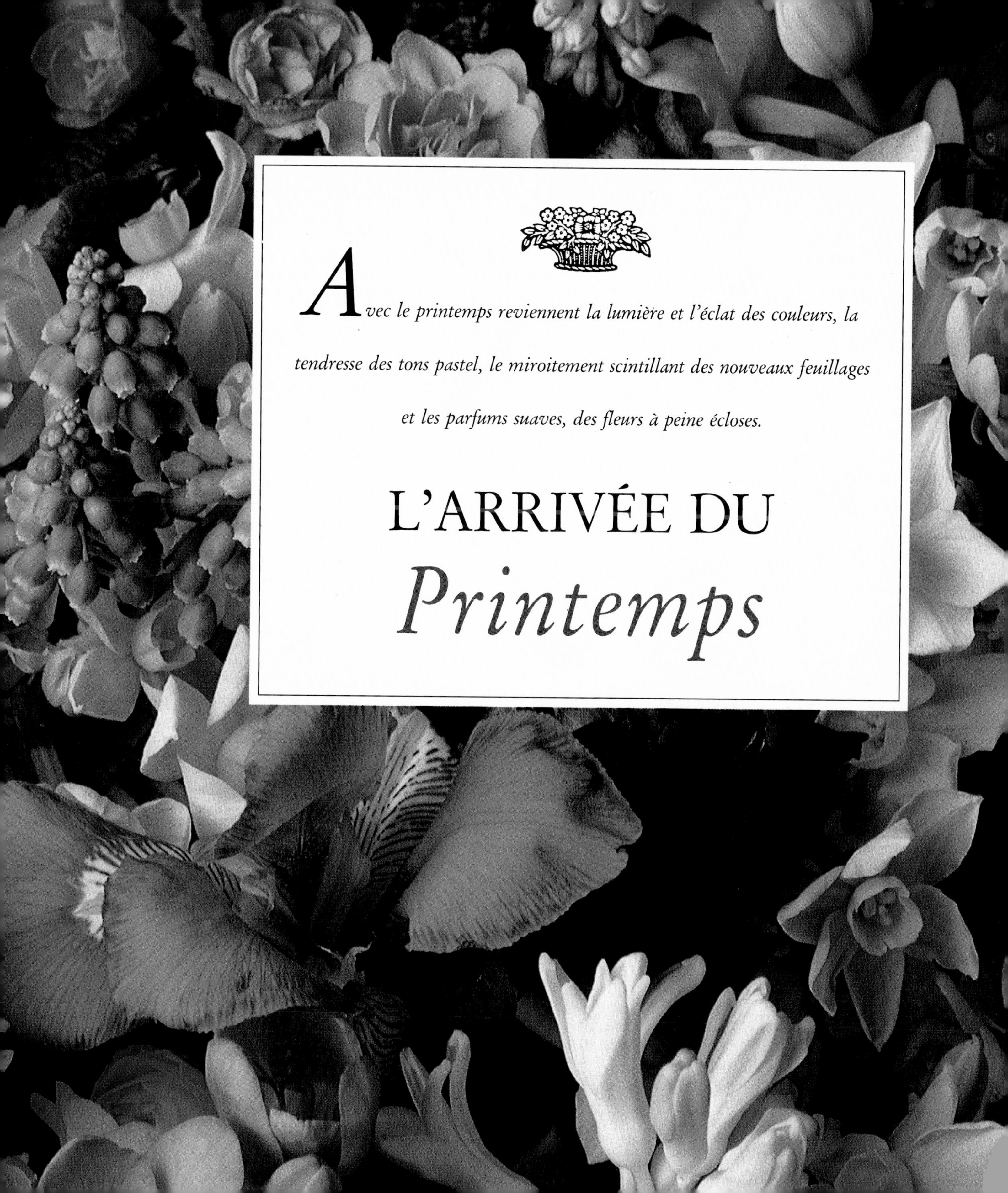

Avec le printemps reviennent la lumière et l'éclat des couleurs, la tendresse des tons pastel, le miroitement scintillant des nouveaux feuillages et les parfums suaves, des fleurs à peine écloses.

L'ARRIVÉE DU *Printemps*

Éclosion des bourgeons

Le printemps, qui porte avec lui de grandes promesses, se plaît parfois à de mauvaises facéties. Ainsi, quand dans le jardin, bourgeons et fleurs en bouton s'apprêtent à exploser, le temps peut jouer les vilains diables avec une gelée tardive, une bise glacée, des ciels grisâtres et sans lumière. Et puis brusquement, le soleil reparaît, haut déjà, en ses longues journées de printemps, et les ombres s'étirent le soir sur la pelouse fraîchement tondue. Alors sans crier gare, mille fleurs s'épanouissent, semant des taches vives là où, quelques jours plus tôt, n'était que grisaille. Les bulbes printaniers sont en général robustes et leurs fleurs faciles à utiliser coupées. Elles se conservent bien, et beaucoup ont en outre un délicieux parfum. On oublie parfois narcisses et jonquilles, tant on les trouve à profusion en saison. Ce sont pourtant des fleurs éclatantes, gaies, qui agissent comme une tache ensoleillée, où que vous les placiez dans la maison.

Quel plaisir aussi, au printemps, de découvrir les premiers feuillages tendres et luisants. Ils nous ont tant manqué en automne, en hiver ! Les branches chargées de bourgeons de feuilles ou de fleurs

sont toujours du plus bel effet, que vous les utilisiez seules ou mélangées à d'autres végétaux. Si le printemps offre moins de fleurs que l'été, après les longs mois de la morte saison, il annonce cependant le retour des couleurs. La nature se pare des tons de jaune, de bleu, de mauve les plus subtils. On y trouve aussi des blancs, depuis les plus purs jusqu'aux nacrés légers, et plus tard, ce seront les roses, les pourpres intenses qui jailliront parmi les verts parfois moirés et toujours changeants des feuillages. Ces couleurs très fortes sont belles si vous les utilisez seules, mais vous pouvez aussi, en les mélangeant, jouer d'explosions multicolores à la manière d'un feu d'artifice. Méfiez-vous, pourtant : certaines fleurs de printemps sont difficiles à mêler à d'autres, soit à cause de la raideur de leur tige – c'est le cas des jonquilles – soit à cause de leur forme ou de leur couleur. Enfin n'oubliez surtout pas les toutes petites fleurs sauvages du printemps, si exquises, si discrètes aussi : violettes, anémones, primevères, scilles ou fleurs de coucou. Ces fleurs ont résisté à la neige, au vent, à la pluie : elles n'en ont que plus de prix.

Petits bulbes et rhizomes

Beaucoup de fleurs de printemps sont des plantes à bulbe ou à rhizome et souvent la plus belle façon de les présenter n'est pas en bouquet de fleurs coupées, mais comme nous les offre la nature : sortant de terre ou de l'eau. Quoi de plus exquis par exemple qu'une tasse délicate contenant quelques *anemone blanda* surgissant d'un léger tapis de mousse ?

À l'opposé de ces minuscules merveilles, les jacinthes, grosses fleurs charnues et odorantes, sont souvent vendues en fleurs coupées, mais seront plus spectaculaires encore si vous les faites pousser en bouquet dans une grande vasque. À retenir aussi, un seul bulbe dans un vase conçu spécialement à cet effet, comme sur la photo ci-contre, à droite. Les espèces multiflores sont souvent plus difficiles à trouver, mais possèdent une odeur exquise. Elles sont plus fines, plus aériennes que leurs cousines plus drues, plus trapues, leurs fleurs s'échelonnent plus espacées le long de la tige, et chaque bulbe donne plusieurs tiges.

Faites aussi pousser chez vous des bulbes plus petits, de scilles ou de *chionodoxas :* vous obtiendrez des fleurs aux couleurs merveilleuses, et une fois la floraison finie, vous replanterez les bulbes dans votre jardin, si vous en avez un. Des griffes de muguet plantées en intérieur fleurissent parfois longtemps avant celles laissées dans le jardin. La blancheur immaculée et le parfum suave de leurs ravissantes clochettes en font des fleurs magiques, qui embaumeront toute votre maison.

CI-CONTRE Jacinthes bleues et blanches, muguet, anémones, muscaris et scilles : toute une variété de bulbes et de rhizomes à faire pousser chez vous.
CI-DESSUS Une unique jacinthe dans un vase à bulbe.

La modestie faite fleur

Les violettes fleurissent très tôt au printemps, avant la plupart des autres fleurs. Elles dissimulent leurs minuscules corolles au ras du sol, sous leurs larges feuilles, dans les endroits de fraîche pénombre. On peut cueillir soi-même ces fleurs minuscules au parfum suave ou bien se les procurer chez les fleuristes ou sur les marchés aux fleurs qui les présentent en petits bouquets, entourés de larges feuilles d'un beau vert sombre. Discrètes, les violettes le sont trop pour s'insérer dans des bouquets mélangés. On ne les verrait pas. Disposez votre bouquet de violettes dans une tasse de fine porcelaine, ou dans un verre ancien, ou encore dans un contenant que vous placerez dans un panier d'osier miniature. Les violettes s'hydratent par leurs feuilles et leurs pétales autant que par leur tige. Vaporisez donc votre bouquet souvent, et si vous le trouvez un peu flétri, plongez-le sous l'eau fraîche une bonne demi-heure avant de le disposer dans son vase.

EN HAUT Dans la pure tradition victorienne, une boutonnière d'odorantes violettes.
CI-CONTRE Un ravissant bouquet de violettes piqué de quelques feuilles de lierre dans un élégant vase sur pied, à placer sur un bureau ou une coiffeuse.

OXFORD
A Happy Birthday

Une fenêtre de printemps

1

Fleurir un appui de fenêtre est chose facile si l'on utilise cette mousse florale synthétique que l'on imprègne d'eau et qui conserve l'humidité.
CI-DESSUS, deux blocs rectangulaires placés dans des dessous de bacs.

2

Piquez dans la mousse les branchages que vous aurez choisis : rameaux de hêtre qui se marieront bien avec des fougères, des euphorbes et du chèvrefeuille. Sur le devant, piquez des tiges plus courtes qui retomberont pour adoucir l'angle de l'appui de fenêtre.

3

Une fois le fond de feuillage solidement installé, ajoutez les taches de couleurs avec les fleurs dont vous disposez. Ici, des renoncules orange, et quelques tulipes perroquet. Celles-ci, peu à peu, se courberont en s'épanouissant. Placez-les donc sur le devant de votre composition.

Les fleurs d'or du premier soleil

Les fleurs jaunes abondent au printemps. Que d'espèces sauvages qui poussent en cette saison ont en effet la couleur de l'or : narcisses, ficaires, chélidoines, primevères, fleurs de coucou, pissenlits, renoncules ou soucis d'eau. La plupart de ces fleurs sont d'un jaune brillant, éclatant, comme s'il reflétait le tout premier soleil, et leurs pétales s'ouvrent vers le ciel.

Ces fleurs précoces sont sans doute celles qui nous émeuvent le plus tant elles incarnent le renouveau de la vie. Entre toutes, la primevère symbolise le printemps. D'un or très doux, veloutée à l'œil comme au toucher, robuste aussi, puisqu'elle résiste au vent et au froid, la primevère possède cette charmante simplicité des fleurs que parfois dessinent les enfants.

Faites pousser vos primevères dans vos bordures, ou même sur vos pelouses. Choisissez des endroits ombragés, où leurs racines trouveront toute l'eau dont elles ont besoin, car ces fleurs craignent la sécheresse. À l'état sauvage, on les trouve souvent au bord des ruisseaux.

Les fleurs de coucou poussent aussi dans les jardins et font des bouquets qui durent longtemps. Leur parfum est à peine marqué, subtil : c'est celui du printemps.

Il existe mille et une variétés de primevères à planter, et l'on peut en acheter en pot, toutes fleuries. Groupez-en plusieurs dans un joli panier d'osier, et vous ferez rentrer le printemps chez vous.

CI-CONTRE Des fleurs ensoleillées dans un décor qui leur donne tout leur relief. C'est tout l'or du printemps qui chante, après l'hiver.
CI-DESSUS Des primevères dans un pot de terre cuite.

L'or des bulbes

Jonquilles et narcisses sont sans doute les fleurs coupées les plus courantes au printemps. Par leur forme, leur couleur, leur texture, elles s'imposent au regard avec tant de force que nul ne peut les ignorer. Regardez la façon dont elles poussent dans la nature : en grosses plaques d'un jaune intense avec seulement le vert de leur tige et de leurs feuilles pour le faire ressortir. Chez vous, recréez cet effet en serrant les fleurs dans votre vase en un bouquet touffu. Ou encore faites pousser dans l'eau ou dans du sable humide, ou entre des galets recouverts d'eau, des bulbes de jonquilles. Utilisez pour cela des récipients en verre, ou de beaux pots. Enfin, pour obtenir un bouquet élancé, mélangez des narcisses à de longs rameaux en bourgeons.

DOUBLE PAGE PRÉCÉDENTE Harmonieux assortiment de rameaux en bourgeons prêts à éclore.
CI-CONTRE Une chope au charmant décor ancien mettant en valeur un petit bouquet de jonquilles.
EN HAUT Avec les bulbes cultivés dans l'eau, le plaisir des fleurs dure plus longtemps.

Tulipes aux mille talents

Les tulipes connaissent un regain de popularité depuis que l'on trouve à en acheter tant de variétés aussi belles que robustes. Toutes sont superbes, depuis celles toutes fines à très longues tiges, aux plus courtes à fleurs plus charnues, en passant par les spectaculaires tulipes perroquet aux pétales dentelés. On dit souvent que ce sont des fleurs difficiles à arranger en bouquet. C'est faux. Il suffit de savoir qu'une tulipe coupée, placée dans l'eau, continuera de grandir, et sa tige se courbera vers la lumière. Comme beaucoup d'autres fleurs, les tulipes sont belles quand elles sont en grand nombre, arrangées en un bouquet touffu. Choisissez, pour le présenter, un contenant évasé : vos fleurs s'abandonneront avec plus de langueur. Achetez-les aussi en bulbes fleuris, comme ces belles tulipes rouges ci-dessous, ou faites pousser des bulbes vous-mêmes.

CI-DESSUS, À GAUCHE Ces tulipes doubles ont un feuillage abondant très élégant.
CI-DESSUS, À DROITE Un bouquet de tulipes évocateur des années cinquante trés décoratif.
CI-CONTRE Un somptueux bouquet de tulipes perroquet jaunes et rouges qui s'épanouiront et se courberont gracieusement au fil des jours.

Palette de blancs

Le blanc n'est pas une couleur nettement définie. Et il existe, parmi les fleurs de printemps, des blancs crus, éclatants, laiteux, des blancs crème ou ivoire. Pour faire ressortir ces nuances, n'hésitez pas à jouer sur le vert des feuillages.

Les lunaires de jardin, qui poussent en buisson, font de fort jolies fleurs coupées auxquelles l'on pense rarement. Elles sont pourtant d'un blanc immaculé, et peuvent s'utiliser dans un bouquet mélangé, ou seules, leurs longues tiges encore en bourgeons. La composition florale ci-contre est présentée dans un beau panier d'osier. Elle comporte du feuillage de viburnum au milieu duquel sont disposées différentes fleurs. Sur le devant, quelques renoncules doubles se courbent gracieusement par-dessus le bord du panier. Pour ce type de composition, il faut évidemment un support de mousse florale synthétique.

Les grandes ombelles du cerfeuil sauvage font de très élégants bouquets, mais attention, en fanant, les minuscules fleurs tombent comme une fine poussière qui risque de gâcher votre plaisir.

Les gracieuses renoncules *aquatilis* se trouvent en saison chez tous les bons fleuristes. Leurs petites fleurs immaculées ressortent merveilleusement sur leurs feuilles bien vertes. Elles s'utilisent sans difficulté soit pour des compositions élaborées dont elles adoucissent les lignes grâce à leur tige souple, soit pour des bouquets plus simples, composés de quelques ancolies, par exemple.

Les fleurs blanches ont toujours joué un rôle important dans les traditions florales de printemps. Autrefois, en cette période de l'année, c'est de blanc que l'on fleurissait les églises pour les fêtes liturgiques, et les mariées du printemps tiennent souvent un bouquet de fleurs pâles où les blancs, les crème et les ivoire se répondent.

CI-CONTRE Les blancs et les crème avec une touche de vert : c'est toute la fraîcheur du printemps que l'on trouve dans ces fleurs simples, arrangées en une composition rustique.

Paniers pour tous les roses

Il est devenu courant d'utiliser des paniers pour y disposer des fleurs. Ce sont des objets discrets, élégants, et leur couleur, toujours agréable, se marie bien avec les fleurs et leur feuillage. Si vous utilisez de la mousse florale synthétique, tapissez votre panier de mousse naturelle séchée. Vous pouvez aussi placer à l'intérieur de votre panier un contenant étanche dans lequel vous disposerez vos fleurs. Les paniers conviennent surtout aux bouquets en forme de touffe, confectionnés avec des fleurs de taille et de longueur moyennes. Et pour voir la vie en rose, songez aux ancolies, aux saxifrages, et à toutes ces fleurs dont il existe de multiples variétés de rose : tulipes, primevères ou renoncules.

CI-CONTRE Émouvantes et désuètes ancolies mêlées à des saxifrages, dans ce panier au charme suranné. CI-DESSUS Paniers tressés remplis de renoncules, tulipes, primevères, et de tant d'autres merveilles.

Avec l'été nous arrivent des profusions de roses parfumées, ainsi que mille autres fleurs depuis des mois oubliées. C'est un éclat de blancheur et un feu d'artifice de couleurs vives.

LUMIÈRE *D'Été*

Pois de senteur et roses odorantes

À cette époque de l'année, la nature nous offre des fleurs avec une générosité sans limite, et l'on n'a que l'embarras du choix pour composer des bouquets. Mais c'est aussi la saison où l'on passe le plus de temps dehors et l'on ne prend donc plus la peine de fleurir son intérieur. Il faut dire aussi que par temps chaud, les fleurs vivent moins longtemps, certaines parfois meurent avant d'avoir éclos. Néanmoins, même s'il ne dure qu'un jour ou deux, pourquoi se priver de l'enchantement d'un bouquet ?

En cette saison, hormis les grandes occasions comme un mariage, nul besoin de présentation compliquée : un bouquet de fleurs de jardin dans un simple vase sera du plus heureux effet. Les premières roses et les pois de senteur sont irrésistibles, que vous les cueilliez au jardin ou que vous les achetiez. Disposez-les en masse dans un pot en faïence, en porcelaine, ou dans n'importe quel contenant que vous dissimulerez dans un joli panier.

En été, choisissez vos feuillages dans les haies qui vous en offrent mille espèces, de couleur, de texture et de forme différentes. En cette saison, le plus délaissé des jardins recèle des trésors ! Les arbustes à fleurs aussi sont généreux et même un potager peut se révéler utile pour vos bouquets : fanes aériennes des carottes, feuilles rouge sombre des betteraves par exemple.

Certains, amoureux de leur jardin et passionnés de jardinage, ne supportent pas que l'on gâche leurs bien-aimées bordures et plates-bandes en prélevant quelques fleurs pour les mettre en bouquet. À ceux-là, je conseille de consacrer un coin de terre pour y cultiver des fleurs à couper : bleuets, godéties, lavatères, nigelles, cosmos, autant d'espèces que vous planterez en graine sans la moindre difficulté. Pour les autres amateurs de jardin, moins tatillons, voici mes conseils : ne coupez qu'une ou deux fleurs par plant et assurez-vous de ne pas choisir vos fleurs toujours aux mêmes endroits afin de ne pas dégarnir vos plates-bandes ou vos massifs. S'agissant d'arbustes, n'hésitez pas à en couper des branches fleuries : c'est une excellente manière de les tailler. Et, si vous avez des fleurs à ne savoir qu'en faire, mettez-les à sécher. Vous en ferez des bouquets qui décoreront votre maison plus tard.

Un panier de roses de jardin

Il n'est de plus grand plaisir que de faire un bouquet de roses de jardin. Ces fleurs si riches, si gracieuses, s'organisent d'elles-mêmes, et s'il s'agit de rosiers anciens, les tons de leurs fleurs s'harmonisent toujours. *Rosa borboniana, gallica, alba, damascena, centifolia,* autant d'espèces qui se déclinent du pourpre au rose le plus pâle. Il s'agit de nuances de rose avec une pointe de bleu, rarement de rose tirant sur l'orange, c'est pourquoi les variétés provenant de ces espèces se marient si bien ensemble. Remplissez-en des paniers par brassées, pour le plaisir des yeux et de l'odorat, car ces roses sont divinement parfumées. Si vous les ramassez dans le jardin, coupez-les tôt le matin ou tard le soir, et fendez leur tige. Puis laissez-les dans l'eau quelques heures, au frais, avant de les disposer en bouquet.

EN HAUT Somptueuses roses « Charles de Mills » en pleine éclosion.
CI-CONTRE Ces petites roses blanches divinement parfumées ressortent avec éclat parmi ces variétés anciennes allant du rosé au pourpré le plus doux.

Bleu lavande

Le parfum de la lavande est sans doute l'un des plus anciens et des plus connus au monde. En revanche, on oublie souvent la fleur de la lavande alors qu'elle fait merveille dans des bouquets de fleurs fraîches. Ordinairement elle est présentée séchée, en petits bouquets bien raides et sans beaucoup de grâce, ou encore dans des arrangements de fleurs séchées où son ton de mauve grisé contraste avec les autres.

La lavande fraîche est une fleur charmante, délicate, qui se marie sans difficulté avec bien d'autres fleurs. Vous choisirez de préférence ces variétés de jardin que l'on trouve en été, et vous pourrez également en faire des petits bouquets raffinés. Il existe plusieurs variétés de lavande : certaines fleurissent dès le début de l'été, d'autres sont plus tardives mais leur floraison se prolonge presque jusqu'à l'automne. Les variétés les plus odorantes ne sont pas forcément celles dont le bleu est le plus intense. La plus communément cultivée aujourd'hui pour la production de fleurs séchées est une variété naine dont les fleurs sont d'un mauve très sombre. D'autres espèces, plus anciennes, ont de longues tiges, avec des fleurs assez pâles, et leur senteur est entêtante, délicieuse.

Ci-contre, on a disposé dans un panier de verres, des petits bouquets de lavande de variétés différentes. À côté, dans un vieux récipient en métal patiné par les intempéries, une rose odorante d'un beau ton d'abricot s'abandonne à côté d'un bouton à peine éclos. Les roses posées ainsi sur l'eau à la manière des nénuphars sont toujours du plus bel effet.

CI-DESSUS Un petit bouquet de lavande lié avec une cordelière soyeuse.
CI-CONTRE Dans un ancien panier de verres de jardin sont disposées différentes variétés de fleurs de lavande fraîches.

Un mariage au jardin

Dans ce jardin rustique, un verger presque à l'abandon, cadre de la fête, une longue table dressée de pur lin blanc, des fleurs somptueuses, des mets et des vins que fera ressortir la simplicité des accessoires en porcelaine, en verre ou même en métal. D'opulentes brassées de lavatères immaculés *Splendens alba* voisinent avec des cosmos blancs dans un baquet de fer étamé. Dans des vases en verre, bouquets de roses blanches et gypsophiles délicates. Enfin, dans des petits seaux en fer garnis de roses aux tons pâles se mêlent des fraises des bois encore vertes, des pois de senteur blancs et quelques roses aux teintes plus soutenues qui donnent de l'éclat au velouté à peine nacré du bouquet. Notez aussi les pêches blanches dressées en une harmonieuse pyramide, et la délicatesse des rubans de satin accrochés aux chaises de jardin. Une décoration que vous pourrez préparer la veille ou le matin de la fête.

EN HAUT Tout est prêt pour la fête dans ce jardin décoré.
CI-CONTRE Sous la lumière douce et romantique des bougies, un mélange de roses et de pois de senteur, piqué de petites fraises des bois.

Symphonie de couleurs

En été, jardins et fleuristes offrent une telle profusion de merveilles qu'il semble impossible de les utiliser toutes. Faites-vous plaisir au moins une fois dans la saison, et sous prétexte d'une fête de famille, ou d'une réception entre amis, composez *le* bouquet de votre été : ce sera le plus spectaculaire, le plus beau, celui où vous exprimerez le mieux votre personnalité. Choisissez les plus belles fleurs, et ne lésinez pas sur les quantités. Jouez sur les formes, les couleurs, les textures, mais gardez-vous d'ajouter du feuillage.

Comme pour le bouquet ci-contre, fixez dans un panier de gros blocs de mousse florale synthétique sur lesquels vous pourrez accrocher un treillis métallique afin de mieux maintenir les fleurs à corolle ou à tête lourde. Déterminez ensuite l'envergure et la hauteur de votre bouquet avec des fleurs de buddleia et des mufliers. Elles seront vos fleurs les plus hautes et donc les premières que vous mettrez en place. Ajoutez ensuite les grosses fleurs à tête ronde : fleurs d'ail, agapanthes, si vous en trouvez, et hortensias, bien sûr. Ceux-ci donneront leur meilleur effet si vous les placez sur le devant de la composition. Comblez ensuite les espaces vides avec mille et une variétés de petites fleurs en vous efforçant de mélanger les couleurs, et de varier les formes. Attention il est important que les hauteurs soient harmonisées.

Les bleus, les fuchsias, les roses et les pourpres sont les couleurs du cœur de l'été, mais vous obtiendrez un effet aussi subtil en jouant sur les dégradés de rouge, ou en optant pour les couleurs pastel : roses très doux, blancs crème, à peine rosés, ou tirant sur le vert. Utilisez aussi des végétaux inattendus, comme ces têtes de pavots encore vertes, ou des fleurs de menthe sauvage, par exemple. Votre composition y gagnera en naturel.

CI-CONTRE Une ravissante composition où chatoient différents tons de roses, de mauves et de bleus. Ce sont des fleurs de jardin que l'on a utilisées ici, ainsi qu'un panier d'osier tressé tout simple.

Trésors des haies et des talus

Tôt en été, les bords des chemins et les haies se parent d'herbes tendres, de lianes fleuries, et plus tard, on y trouve les fruits encore verts des arbres sauvages, et les multiples variétés de plantes grimpantes. Autant d'éléments pour constituer des bouquets au charme inattendu. Ci-dessous, dans un de ces anciens paniers de jardin en bois, un bouquet champêtre composé de graminées, de marguerites, de fleurs de sureau, de chèvrefeuille et d'oseille. L'été nous donne aussi les fleurs des prunelliers et celles des mûriers sauvages sur leurs longues tiges épineuses.

CI-DESSOUS Tous les trésors des prés, des haies et des talus.
CI-CONTRE Ce joli pichet XIXe siècle convient à merveille pour cet insolite bouquet de mûres en fleurs, de baies de sureau, et de prunes, assorties de clématites.

Les bleus de l'été

On trouve un bel assortiment de fleurs bleues en été, depuis les superbes hampes de delphiniums et de campanules jusqu'aux fleurs plus modestes comme les scabieuses, les nigelles ou tout simplement les chardons. Plus tard dans la saison, fleurissent les agapanthes au port altier, et bien sûr les lumineux hortensias. Enfin citons ces espèces si jolies et si classiques que sont les bleuets, les pois de senteur, les volubilis : autant de fleurs bleues que l'on trouvera tout au long de l'été. Il existe de nombreuses variétés de fleurs annuelles de couleur bleue, qu'il vous suffira de planter en graine au printemps. Plongez-vous dans les catalogues de pépiniéristes pour faire votre choix.

Toutes les nuances de bleu se marient bien entre elles, et vous y ajouterez avec bonheur des mauves et des verts. Jouez aussi les contrastes en mêlant aux bleus des jaunes et des tons d'abricot, et pour un effet audacieux alliez le bleu à des rouges et des pourpres. Le bleu et le blanc vont très bien ensemble : c'est une combinaison classique mais qui reste attrayante.

Enfin, n'oubliez pas : la couleur bleue donnera toujours à vos bouquets une apparence de fraîcheur particulièrement agréable en été.

DOUBLE PAGE PRÉCÉDENTE Assortiment de delphiniums pour une variation de bleu, couleur insolite dans le monde végétal.
CI-CONTRE Une composition fraîche en une saison où il fait bon reposer son regard.
CI-DESSUS Somptueuses fleurs de l'été : les agapanthes et les hortensias.

Petite gerbe de bienvenue

1

Pour ce bouquet que vous accrocherez à votre porte vous prendrez une fleur d'hortensia, des branches de vigne et d'orpin, des roses, des fleurs de pélargonium, du géranium, du chèvrefeuille et du polygonum, un joli ruban de taffetas rose et du fil vert.

2

Nettoyer les tiges de vos branches et de vos fleurs en enlevant les feuilles superflues. Sur une surface plate disposez d'abord les branches de vigne, puis la fleur d'hortensia afin de donner à votre bouquet une forme oblongue, comme le montre la photo ci-contre.

3

Ajoutez les fleurs sur le feuillage, disposez-les de manière régulière, et placez les plus petites et les plus courtes sur le devant du bouquet. Liez les tiges avec le fil sans trop serrer afin de conserver au bouquet sa forme de gerbe aérée.

4

Nouez le ruban rose de manière à cacher le fil. Faites plusieurs fois le tour des tiges, et finissez par un joli nœud. Coupez les extrémités du ruban s'il est trop long, et accrochez une petite bride en fil de fer derrière le bouquet pour le suspendre à votre porte.

Lis éternels

Bien que l'on puisse en acheter toute l'année, c'est en été que fleurissent naturellement les lis. Sachez qu'il est souvent plus facile de les cultiver en pot qu'en pleine terre où la composition du sol pourrait ne pas leur convenir. Les lis font d'admirables fleurs coupées qui durent longtemps : les fleurs réparties le long de la tige s'ouvrent les unes après les autres. Les variétés les plus odorantes sont le *Lilium candidum,* le *Lilium longiflorum* dont les fleurs évoquent de longues trompettes immaculées, et certaines variétés hybrides telles la « Casa Blanca » aux larges fleurs qui s'ouvrent sur des étamines démesurées. Les lis peuvent entrer dans la composition d'un bouquet mélangé, mais c'est seuls qu'ils prennent toute leur exceptionnelle beauté. Si vous cherchez à créer un effet différent, coupez les fleurs au ras de la corolle, et posez-les sur l'eau dont vous aurez rempli un récipient large et plat.

CI-DESSUS, à gauche Dans une assiette provençale en faïence verte, lis roses mouchetés et pélargonium reposent sur l'eau.
CI-DESSUS, à droite Lis roses et lis blancs assortis de roses blanches dans une jardinière de bois peint.
CI-CONTRE Des lis blancs « Casa Blanca » et des lis roses mouchetés disposés dans des vases en verre transparent.

Insolites pique-fleurs

À la fin de l'été, différentes variétés de courges apparaissent dans les jardins et voisinent avec les dernières fleurs aux couleurs intenses : capucines, soucis, bleuets, pavots, tournesols. Pourquoi ne pas utiliser un pâtisson pour y piquer quelques fleurs à tige dure, comme des dahlias. Il vous suffira pour cela de percer des trous avec une aiguille à tricoter ou un fer de brochette. Deux ou trois fleurs par courge suffiront. Si vous voulez un bouquet plus important, utilisez la courge de votre choix comme un vase : découpez une rondelle en son sommet, et débarrassez l'intérieur de sa chair que vous remplacerez par de l'eau. Vous obtiendrez un récipient étanche, et si celui-ci manque de stabilité, coupez sa base pour la rendre plate. Je vous conseille d'y disposer des tournesols dont la couleur se marie bien avec celle de certaines courges.

CI-CONTRE Ces éblouissantes fleurs de fin d'été aux couleurs intenses sont présentées de manière originale dans des vases insolites.
EN HAUT Les tournesols, qui durent très longtemps, font des fleurs coupées splendides, présentés en longue gerbe ou au contraire, comme ici, taillés au ras de leur corolle. Ces fleurs charnues peuvent alors être déposées sur l'eau.

L'automne s'installe dans la douce tièdeur des derniers jours d'été. C'est le retour des fruits et des baies dont les couleurs rivalisent avec celles des fleurs et des feuillages, parés désormais de l'éclat du soleil couchant.

COULEURS *d'Automne*

Feuillages et fruits

Un bel automne chaud, ensoleillé, peut arriver, somptueux comme le feu d'artifice final d'un merveilleux été. Il n'en est hélas pas toujours ainsi, et à l'opposé, c'est une saison où le vent, la pluie, la tempête peuvent dévaster prématurément les jardins. Mais l'automne, le plus souvent, nous offre des débauches de fruits, de baies, de fleurs aux tons merveilleux, et des feuillages couleur de feu.

Orange, rouge, vermillon, pourpre, telles sont les couleurs que l'on associe généralement à l'automne, et l'on en oublie d'autres plus subtiles, plus discrètes : ainsi cet incarnat tigré de certains lis nains, ou le mauve pâle des asters. De même les baies ne sont pas simplement rouges ou orange : il en est de noires brillantes, d'autres d'un élégant vert olive, ou encore d'un beau rose éclatant. Et puis toutes les nuances d'ocre, de terre, de brun se trouvent dans les fruits à coque, les gousses, et certains fruits comme les nèfles.

Les haies et les jardins recèlent encore bien des trésors avant leur long sommeil d'hiver. Ramassez des

feuilles aux couleurs ensoleillées et mettez-les à sécher, de même des gousses que vous vernirez plus tard. Faites des bouquets de fleurs et de branchages que vous mettrez à sécher en les suspendant par la tige et ramassez des mousses et des lichens, tant que le temps le permet. Beaucoup de baies se conservent bien, même si elles se flétrissent un peu. Il suffit pour les empêcher de se détériorer de les placer dans un endroit où il ne fait pas froid. Elles finiront par sécher.

En cette saison, les bouquets permettent de merveilleux mélanges : vous y mettrez des fleurs fraîches, d'autres séchées, de même que des feuillages, et tout s'harmonisera sans difficulté. Choisissez des vases simples afin que jouent les formes tourmentées des branches, les riches couleurs des fruits et des baies, et l'embrasement des feuilles. Les paniers ou tout autre contenant en matériau naturel sont très appréciables, surtout pour les compositions aux tons intenses. Le verre ou la porcelaine sont des matières trop délicates pour les formes et les teintes puissantes des bouquets d'automne.

Monochromie d'automne

N'utiliser qu'une seule couleur, le blanc, et son opposé, le noir. Pour cela, songez aux grappes de symphorine, aux baies de troène noires, brillantes comme l'ébène, à celles du lierre, aux fruits du cornouiller et bien d'autres. Mélangez-les avec les feuilles de différents lierres pour obtenir un effet contrasté. Quant aux fleurs blanches, il n'en manque pas non plus : ainsi ces tubéreuses aux pétales éclatants, veloutés, utilisées dans le petit bouquet noir et blanc, ci-dessus. Elles possèdent un parfum entêtant et durent presque quinze jours, si vous les achetez bien fraîches. Attention, les bouquets composés de fleurs, baies et feuillages nécessitent un soin particulier car leurs différents composants ne se fanent pas au même rythme. Il faut donc changer leur eau souvent et enlever les éléments flétris au fil des jours.

EN HAUT Rubans anciens qui servaient autrefois de lacets de bottines pour ce ravissant bouquet rond, noir et blanc. CI-CONTRE Pour un effet décoratif plus élaboré, rassemblez auprès de vos bouquets, des objets insolites en harmonie avec vos fleurs.

Fruits en fête

Pensez aux baies et aux fruits pour vos décorations de l'automne. Vous pouvez utiliser les petits fruits un peu comme des perles, en les enfilant sur du fil de fer plus ou moins rigide. Quant aux fruits plus gros, ils serviront de base à un arrangement en forme de pyramide ou vous les mélangerez à des fleurs dont vous aurez coupé la tige, comme ci-contre, dans ce joli plat ajouré. Des éléments aussi décoratifs que les grenades et certaines coloquintes se gardent très bien plusieurs semaines. Pour disposer ces fruits peu banals, utilisez vos assiettes ou vos plats de service les plus originaux, et si le cœur vous en dit, ajoutez pour un effet plus raffiné encore, quelques corolles de ces fleurs d'automne qui durent longtemps comme les chrysanthèmes orangés dont la couleur jouera sur le satiné des grenades, ou encore ces feuilles aux tons riches, et aux formes délicates. Faites des bouquets ronds de baies ou de branches de pommier ornemental chargées de fruits.

Enfilez les baies et les fruits sur du fil de fer souple auquel vous donnerez la forme que vous désirez. L'opération prend du temps, même si, dans le cas de baies, vous les attachez par grappes plutôt que de les enfiler une à une. Mais vous conserverez ces compositions décoratives longtemps après que les baies ou les fruits ont séché. Utilisez les baies de pyracantha ou celles de cotonéaster : leurs tons de rouge, d'orangé, donneront de la chaleur à vos arrangements de fleurs et de feuilles séchées.

CI-CONTRE Grenades et coloquintes joliment disposées dans une coupe Napoléon III et dans un plat finement décoré.
CI-DESSUS Une couronne de grains de poivre rose et de baies de pyracantha.

Composition de légumes

Certains légumes possèdent des formes, des couleurs et une texture qu'il serait dommage de ne pas utiliser. En outre, on cultive maintenant des variétés hybrides dans un but décoratif : ainsi ces mini brocoli d'un beau vert jaune ou ces choux frisés, mauve rosé. Pour une composition stable, garnissez votre contenant de mousse synthétique et d'un treillis métallique. Aux plus petits éléments de votre décoration, vous accrocherez du fil de fer que vous piquerez dans la mousse, et vous coincerez la base de vos choux et autres légumes dans le treillis métallique.

EN HAUT Amarante et lierre retombant gracieusement du bouquet
CI-CONTRE Choux de Bruxelles, asperges, choux et brocoli . Avant d'utiliser les navets laissez-les quelques jours à la lumière pour qu'ils s'ornent de jolies feuilles.

Gerbe d'automne

1

Recouvrez un pot de fleurs de plastique avec de la paille de blé et de seigle, en la collant au pistolet à colle. Les brins de paille doivent dépasser le bord supérieur du pot. Garnissez l'intérieur du pot avec un bloc de mousse florale synthétique grossièrement taillé.

2

Une fois la paille bien collée autour du pot, entourez celui-ci d'un élastique, et disposez des épis de blé et de seigle. L'élastique les maintiendra en place. N'hésitez pas à en mettre beaucoup pour créer un effet de botte. Recouvrez l'élastique de trois tours de ficelle.

3

Nouez solidement la ficelle. Puis, disposez vos fleurs séchées à l'intérieur de la gerbe. Groupez les petites fleurs comme les roses afin d'obtenir des taches de couleurs. Dans la botte présentée ici, il y a des fleurs de tournesol, des roses jaunes, des chardons, des zinnias rouges et des têtes de pavots séchés.

Le choc des couleurs

En automne, certaines couleurs sont inattendues : ainsi le rose fuchsia de ces reines-marguerites que l'on croirait surgies d'une toute autre saison et qui pourtant fleurissent au jardin jusqu'aux premiers jours de l'hiver. De même les schizostylis, plantes à rhizome, qui donnent des fleurs dans des dégradés de rouge, de rose et de corail. Autant de fleurs que l'on apprécie lorsque celles de l'été ne sont plus qu'un souvenir, et qui réveilleront avec bonheur les classiques et robustes asters ainsi que les chrysanthèmes. Mélangez ces reines-marguerites rose vif avec les rouges intenses, et les orangés des baies de l'automne, et n'ayez pas peur du choc des couleurs !

Les baies se trouvent en abondance en cette saison : ne négligez pas les cynorhodons, ces fruits de l'églantier que vous pourrez cueillir jusqu'à ce que, au coeur de l'hiver, les oiseaux, faute de mieux, les aient tous mangés. Pensez aussi au pyracantha, au viburnum, au cornouiller, au fusain, au cotonéaster : autant d'arbustes généreux en baies. Et puis, plus fin, plus délicat, il y a aussi la bryone, connu dans les campagnes sous le joli nom de *navet du diable,* et dont les tiges grimpantes poussent dans les haies et les fourrés : elle donne des baies brillantes, scintillantes.

Pour des bouquets aux couleurs aussi audacieuses, choisissez des contenants simples, de préférence stylisés, telle cette urne moderne, ci-contre. Le bouquet qu'elle contient comporte des reines-marguerites d'un rose intense qui réhausse celui presque mauve des asters. Les grandes *Euphorbia fulgens* donnent des lignes souples, gracieuses. On en a enlevé les feuilles si bien qu'il n'en reste que les fleurs d'une couleur écarlate remarquable. À noter cependant qu'il s'agit de bractées et non de pétales.

DOUBLE PAGE PRÉCÉDENTE Colliers de feuilles, de baies et petits fruits : en automne, la nature nous en offre d'inépuisables variétés. CI-CONTRE Des couleurs qu'il faut oser marier, sans craindre de les placer dans un décor audacieux.

Décors de feuilles

Pendant quelques jours d'une trop courte féerie, les jardins et la campagne d'automne se parent des tons les plus spectaculaires de rouge, d'or, et de pourpre. C'est un embrasement magique auquel se mêlent des couleurs plus douces en particulier celles de certaines vignes vierges dont les feuilles prennent des nuances lie de vin. Cueillez, ramassez ces feuilles si différentes, utilisez-les fraîches ou bien faites-les sécher. Elles agrémenteront joliment un bouquet de fleurs ou de baies et vous pourrez aussi vous en servir pour recouvrir un pot, pour animer des étagères ou pour disposer sous des assiettes. Faites sécher vos feuilles d'automne en les glissant entre des feuilles de journaux, puis en plaçant dessus un poids bien lourd comme votre dictionnaire.

CI-DESSUS, à gauche Des feuilles de vigne fraîches pour dissimuler un pot rempli d'aubergines et d'hortensias. Une ficelle verte maintient les feuilles. CI-DESSUS, à droite Feuilles d'automne séchées pour ce dessous d'assiette original. CI-CONTRE Plusieurs espèces de feuilles pour décorer ces étagères : vigne, bien sûr, mais aussi prunus, et même eucalyptus pour cette petite couronne, en bas à droite.

La marguerite de l'automne

C'est l'aster, le saviez-vous ? L'aster qui remplit nos jardins d'automne avec ses mille fleurs aux couleurs subtiles. Les asters se plaisent autant dans un jardin sauvage, presque à l'abandon, que dans des plates-bandes soignées, tracées au cordeau. Leur forme et leur structure se prêtent à tous les arrangements : grands bouquets élégants pour lesquels quelques tiges bien fleuries suffisent, mais aussi bouquets plus campagnards, que vous composerez dans un simple pichet, ou dans un panier. Vous verrez, les fleurs s'organiseront d'elles-mêmes avec grâce.

On trouve maintenant chez les fleuristes de nombreuses variétés de ces marguerites d'automne, pratiquement toute l'année. Leur couleur varie depuis le mauve le plus tendre jusqu'au violet le plus sourd, en passant bien entendu par les espèces à fleurs blanches. La forme et la taille des fleurs varient aussi : certaines dites *simples* n'ont qu'un rang de pétales autour d'un minuscule cœur jaune, d'autres dites *doubles* ont une corolle beaucoup plus touffue autour d'un cœur plus gros et d'un jaune plus intense. Utilisez les asters pour de hautes gerbes, et leurs myriades de fleurs évoqueront les étincelles assourdies d'un feu d'artifice pastel. Coupez au contraire leurs fleurs pour de petits bouquets charmants.

Ci-contre, l'on a mélangé des asters de jardin d'un mauve très pâle avec des doubles d'un violet plus corsé. À noter le bel effet du feuillage de sureau, dont la forme, la texture et la couleur contrastent avec les petites fleurs étoilées. Les feuilles du sureau ont déjà ce ton à peine miel, si doux, si subtil, et leurs veines sont délicatement pourprées. Elles dureront peu, mais qu'importe, elles sont si belles ! Ce bouquet prendra toute son ampleur si vous le placez dans une grande pièce, ou même au centre de votre table de salle à manger, ou par terre, près de la cheminée.

CI-CONTRE Un pichet en métal émaillé des années cinquante assorti à ce bouquet étoilé d'asters agrémenté de feuilles de sureau d'un or déjà éteint.

Bois et Rameaux

Si les feuillages flamboyants sont le symbole de l'automne, les premiers rameaux dénudés sont la préfiguration de l'hiver. Les rameaux de bois nus mélangés avec des fleurs, des baies ou du feuillage, font de très belles décorations : ne l'oubliez pas en taillant vos arbustes avant les premières gelées. Vous pouvez aussi, achetez ces branches chez votre fleuriste. Les plus belles sont de bois brun ou grisé, mais celles de saule ou de cornouiller aux reflets roux et jaune sont fort élégantes.

CI-DESSUS Un treillis de rameaux nus pour recouvrir ce pot rempli de chrysanthèmes.
CI-CONTRE Un bouquet de rameaux de saule dénudés, dans un vase aux courbes sobres sur lequel s'entortille une fine liane de bryone chargée de baies vermeilles.

Des conseils pour l'arrière-saison

En cette période de l'année, la nature nous offre à profusion de quoi décorer nos maisons : cosses, gousses, fruits à coque, baies, feuillages, et bien sûr toutes sortes de fleurs à couper. Il est peu de végétaux dont on ne puisse se servir sans préparation : peut-être les fruits à coque que vous disposerez plus facilement si vous les percez pour les accrocher à un fil de fer. Vous pouvez aussi les coller sur un rameau de bois mais l'opération demande une certaine minutie. Utilisez aussi des brochettes en bois pour maintenir les fruits qui entreront dans la composition de vos bouquets. Pensez encore aux cœurs de clématites séchées, et leur enchevêtrement de fils argentés si jolis dans la lumière. Pour les conserver longtemps, vaporisez un fixateur ou passez un vernis. Traitez de même les gousses ouvertes d'iris rhizomateux : ainsi les graines rouges n'en tomberont pas au fil des jours.

Les feuillages d'automne demandent à être maniés avec délicatesse car c'est lorsque les feuilles sont sur le point de tomber qu'elles sont les plus belles, les plus éclatantes. Pour les conserver plus longtemps en bouquet, vaporisez un fixateur à l'endroit où le pédoncule de la feuille rejoint le bois de la branche.

Les vases où confectionner vos bouquets d'automne devront être simples, bruts, rustiques : paniers, récipients en bois, tels sont à mon avis les plus appropriés. Ci-contre, un assortiment de boîtes et paniers, dont les couleurs s'harmoniseront à merveille avec les tons de l'automne, en particulier celui des feuilles de chêne, ou l'orange lumineux des lanternes des physalis. Doublez vos paniers de plastique afin de les rendre étanches, ou placez à l'intérieur un récipient susceptible de contenir de l'eau.

CI-CONTRE Un assortiment de contenants en bois ou écorce, pour présenter les richesses de l'automne. Dans chacun, pas plus de trois végétaux différents pour procurer à l'ensemble simplicité et harmonie.

L'hiver s'intalle, mais la nature nous réserve encore des trésors. Rameaux dénudés, feuillages persistants au vert cuivré, baies à l'éclat sourd, autant de surprises en attendant le renouveau

AU CŒUR DE *L'Hiver*

Parfum de fleurs

L'hiver n'est pas synonyme de pénurie en matière de fleurs à couper. D'abord on trouve à acheter beaucoup d'espèces de printemps ainsi que des bulbes prématurément éclos en serre, ou qui nous viennent de pays plus chauds. Et s'il est un peu insolite de fleurir la maison de jonquilles quand Noël n'est pas encore là, pourquoi se priver de ce plaisir ? Pourquoi surtout ne pas vivre avec son époque où l'on peut manger des fraises toute l'année et se procurer, en hiver, les fleurs de l'été ?

L'inconvénient cependant est que celles-ci coûtent cher, et souvent durent peu. Les plantes fleuries et les bulbes sont, sur ce plan, plus avantageux ainsi les azalées et les cyclamens qui, outre une floraison prolongée, refleuriront plusieurs années consécutives si vous avez la place de les conserver et que vous leur assurez un minimum de soins. Les bulbes d'amaryllis donnent sans doute les fleurs les plus spectaculaires de l'hiver, de belles fleurs qui durent longtemps. Quant aux narcisses éclatants de blancheur, il est de tradition d'en faire éclore avant Noël. Plantez-les à la fin de l'automne dans une terre très légère, ou mieux, placez les bulbes sur des galets recouverts d'eau : ils fleuriront en quelques semaines. Songez aussi aux petites pensées, aux primevères précoces que l'on achète pour planter dans les jardins mais que l'on peut conserver quelques jours à l'intérieur.

En hiver, il est aussi d'autres végétaux décoratifs : tiges, branchages dénudés, et bien sûr arbres et arbustes à feuilles persistantes, dont vous pouvez user et abuser. Le jardin en hiver vous semble morne et désert ? Regardez bien et sans doute y découvrirez-vous

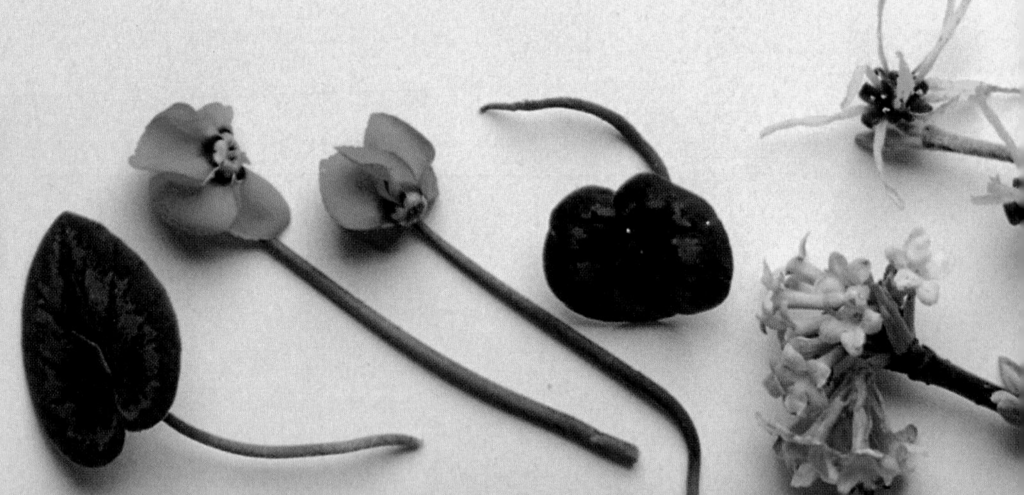

encore quelques merveilles inattendues : la toute dernière rose comme égarée dans la nature assoupie, un iris fleuri là par hasard, ou encore des baies miraculeusement épargnées par les oiseaux. Autant de cadeaux inespérés et qui n'en ont que plus de prix.

Essayez-vous aussi aux tout petits bouquets : ils réchauffent le cœur, enchantent les yeux autant que ceux, plus importants, que vous ferez bientôt avec le grand retour du printemps.

Si vous disposez d'un jardin, pensez à planter certaines espèces destinées à égayer votre maison : un buisson de laurier-tin, dont le feuillage vert et les fleurs blanches à peine rosées tiendront en vase des semaines durant. Beaucoup de fleurs de l'hiver sont petites, discrètes, sans beaucoup d'éclat. Elles possèdent en revanche un entêtant parfum. Il suffit d'un minuscule bouquet de fleurs ou de quelques branches odorantes pour personnaliser une jolie table de salle à manger, ou garnir l'appui de la cheminée. En vérité, les fleurs de l'hiver possèdent un charme subtil, envoûtant. Ne ménagez pas votre peine pour les découvrir dans les haies et dans les jardins.

Fragrances exquises

De façon paradoxale, c'est au creux de l'hiver que l'on trouve dans les jardins certaines fleurs aux formes les plus subtiles, et aux senteurs les plus exquises : ainsi ces iris nains qui jaillissent, mauve ou jaune, et qui dureront plusieurs jours si vous les coupez. Placez-les dans vos verres d'apparat, ils le méritent, et jouissez de leur beauté et de leur délicieux arôme.

Certains buissons qui fleurissent en hiver donnent des fleurs au parfum suave. Quelques tiges de *Chimonanthus fragrans* ou de chèvrefeuille d'hiver suffiront à embaumer la maison plusieurs jours durant.

L'hiver recèle aussi des trésors de couleurs avec les cyclamens, le jasmin d'hiver et ces petits crocus aux tons aussi intenses, sensuels, que bien des fleurs d'été. Choisissez des récipients transparents pour ces merveilles de la prétendue morte saison : le verre mettra mieux en valeur leurs formes délicates.

EN HAUT Iris nains et crocus : un avant-goût du printemps.
CI-CONTRE Les merveilles du jardin en hiver présentées dans un assortiment de récipients en verre.

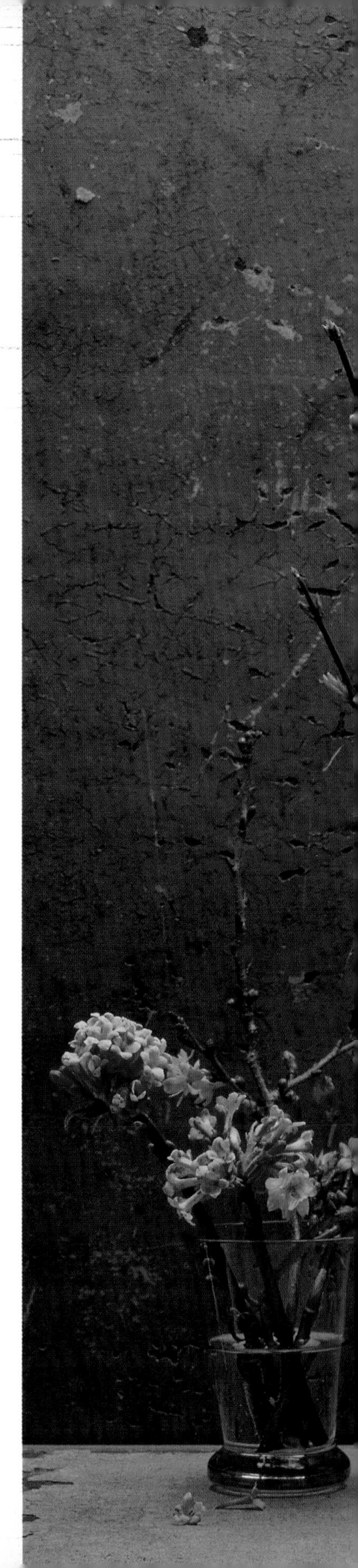

Pensées d'hiver

Ce sont les fleurs le plus communément utilisées en hiver pour garnir les jardinières et les plates-bandes du jardin. Mais vous pouvez aussi les conserver à l'intérieur quelques temps. Puis, lorsqu'elles commenceront à se faner, vous les mettrez dans le jardin et peut-être refleuriront-elles. Un plant unique créera un délicieux effet si vous lui trouvez un contenant approprié. Pour un effet de masse, groupez plusieurs plants dans un gros pot. Je suis d'avis de ne pas mélanger les pensées avec d'autres plantes : on ne les remarquerait plus tant elles sont discrètes, ténues.

Méfiez-vous de ces pensées aux fleurs énormes, charnues, démesurées, sur des tiges très courtes. Elles feront de superbes plates-bandes de jardin public, mais pour un usage plus personnel, chez vous, vous serez déçu. Préférez-leur les variétés proches de la violette des jardins, plus petites. Leurs couleurs sont encore plus belles : pourpre, bleu, mauve, orange bruni, jaune ou blanc.

Aux pensées, il faut des récipients rustiques : terre cuite, fer-blanc, étain. Le verre et la porcelaine ne conviennent pas. N'oubliez pas non plus qu'il vous faut un contenant où placer des plants et non des fleurs coupées. Pour plus d'harmonie, dans un même récipient, ne présentez que des pensées du même ton.

CI-CONTRE Dans cette coupe en étain, quatre plants de petites pensées mauves, qui peuvent se garder quelques jours à l'intérieur.
CI-DESSUS Un plant de pensées dans un seau en fer-blanc.

Rose et argent

Il ne faut pas négliger le cyclamen, car c'est une plante fleurie, qui dure longtemps, et dont les tons sont éclatants, en cette saison de ciel gris. Les variétés à petites fleurs sont plus élégantes que celles à grosses fleurs charnues, et suivant la taille de leurs pots, vous les placerez dans des contenants inattendus : petits seaux à glace en métal argenté ou encore moules à gâteau anciens. Prenez soin de recouvrir la terre de votre pot avec de la mousse fraîche. Un cyclamen dans un cache-pot en métal argenté ou en argent donnera à votre table un air de fête aussi sûrement que les classiques décorations rouges et vertes.

DOUBLE PAGE PRÉCÉDENTE Somptueuse et traditionnelle décoration de Noël.
CI-CONTRE Cyclamens d'élevage et de jardin dans une coupe en métal argenté.
CI-DESSUS Un mariage de rose et d'argent pour un décor de fête original.

Cadre doré

1

Il vous faut un pistolet à colle, de la peinture dorée, des végétaux séchés : fruits à coque, graines, têtes de pavot, artichauts, de grandes feuilles : celles de magnolia par exemple, et des rameaux droits résistants ou des bâtons de cannelle, pour faire le cadre.

2

Versez la peinture dorée dans un petit godet, et au pinceau fin, peignez les feuilles et les divers végétaux séchés sauf les rameaux de bois et les bâtons de cannelle. Laissez sécher avant de commencer à assembler l'armature de votre cadre.

3

Collez quatre bâtons de cannelle de manière à former un cadre rectangulaire. Doublez éventuellement ces bâtons afin que ce cadre soit plus solide et que ses montants offrent plus d'épaisseur. Peignez ce cadre comme vous l'avez fait pour les autres éléments, et laissez bien sécher avant de le décorer.

4

Collez d'abord les motifs décoratifs volumineux, artichauts et feuilles, puis les éléments plus petits. Vous pourrez ensuite accrocher votre cadre au mur, ou le coller sur un support et le poser sur un meuble pour mettre en valeur une plante ou un arrangement floral, comme ci-contre.

Lueurs scintillantes

Le mariage des bougies et des fleurs est raffiné et chaleureux. La flamme des bougies change subtilement les couleurs, les réchauffe, et fait ressortir des nuances qui n'apparaissent pas à la lumière du jour. Lorsque vous composerez votre motif de décoration choisissez de préférence des tons pastel que réveillera la flamme dorée des bougies.

En cette saison où les fleurs sont rares et onéreuses, mélangez-en des fraîches avec des séchées, ou même des artificielles. Et pour parachever l'ensemble, ajoutez quelques feuilles dorées, ou de ces boules de Noël en verre or ou argent, que vous poserez délicatement parmi les blancs et les crème des fleurs coupées. Regroupez plusieurs grosses bougies et fixez-les solidement dans une assiette ou dans une coupe. Entourez celle-ci de mousse synthétique afin de disposer plus commodément une couronne d'hortensias pâles séchés, que vous mélangerez à quelques fleurs fraîches d'amaryllis, par exemple, ou de narcisses. Disposez ça et là des petites boules de Noël, certaines sont munies d'une tige de fer que vous pourrez ficher dans la mousse synthétique.

Pour une décoration plus simple, plus romantique aussi, prenez une seule bougie dont vous entourerez la base d'hortensias séchés dans les tons de vert pâle et de rose très doux, que vous entremêlerez de roses séchées.

Utilisez des bougies à combustion lente et ne les laissez jamais allumées dans une pièce sans personne pour les surveiller.

CI-CONTRE Narcisses immaculés et amaryllis mélangés à des hortensias séchés pour entourer un groupe de bougies en cire naturelle.
CI-DESSUS Une couronne de roses « thé » autour de cette bougie.

Effets de givre

Peu de fleurs symbolisent l'hiver avec autant de charme et de grâce que le perce-neige et la rose de Noël, *Helleborus niger.* Il est parfois difficile de faire fleurir cette dernière dans de bonnes conditions. D'autres variétés d'hellébores sont plus faciles à faire pousser, et donnent des fleurs tout aussi belles. Quant aux perce-neige, ce sont des fleurs très simples, et si vous ne les faites pas pousser au jardin, vous en trouverez à profusion chez les fleuristes qui les proposent en minuscules bottes rondes, irrésistibles. Pour les mettre en valeur, quelques feuilles de lierre suffisent, ou n'importe quel feuillage persistant. Présentez-les dans de petits vases, en porcelaine, blanche de préférence, et réjouissez vos yeux de leur tendre innocence. Préférez les petits bouquets aux gros, moins élégants.

EN HAUT Plusieurs petits bouquets de perce-neige dans différents récipients honorant leur blancheur.
CI-CONTRE Dans cette jolie jardinière de porcelaine ajourée, un assortiment d'hellébores où se mêlent fleurs épanouies et boutons.

Splendides incarnats

Si l'on hésite parfois à utiliser le rouge en d'autres saisons, l'hiver, quoi de plus beau, de plus chaud ? Intenses, revigorants, tous les tons de rouge éclairent les pâles soleils d'hiver et raniment, quand vient la nuit, la lumière souvent froide des lampes électriques ! C'est une couleur aussi qui évoque irrésistiblement Noël, où elle est généralement associée aux verts sombres, presque bleutés, des traditionnels sapins. Mais vous pouvez aussi utiliser des fleurs rouges seules : vous verrez comme elles possèdent un charme magique et mettent tout le monde de bonne humeur. Ainsi le rouge des anémones, pur, brillant sur leur cœur de soie noire, se suffit à lui-même. La texture veloutée des pétales s'harmonise bien avec des récipients d'étain ou de métal argenté, ou d'autres encore de bois sombre, ou même de porcelaine, à condition qu'elle soit de couleur foncée. Évitez les vases en verre, en faïence ou en porcelaine claire, mais songez qu'un bouquet d'anémones rouge sang peut être du plus heureux effet dans un contenant bleu cobalt, par exemple.

Aux couleurs tout aussi intenses, mais plus exotiques, les amaryllis. À l'origine, elles nous viennent des pays chauds, mais sont aujourd'hui des plantes d'hiver à bulbe, que l'on trouve communément sous nos latitudes. On les vend en bulbe à faire fleurir chez soi, ou en fleurs coupées. La variété « Prima Donna », d'un rouge particulièrement profond, et dont les pistils sont à peine dorés, donne des fleurs magnifiques, chacune s'ouvrant à angle droit par rapport à l'épaisse tige creuse. À première vue, on hésite à couper les fleurs au ras de leur pédoncule : c'est pourtant la façon la plus pratique de les utiliser ; mais vous pouvez aussi en disposer trois belles tiges dans un haut vase : elles fleuriront plusieurs semaines durant. Ôtez les fleurs au fur et à mesure qu'elles fanent, afin que les autres paraissent plus éblouissantes encore.

CI-CONTRE Amaryllis dans un pichet émaillé de couleur argenté, et des anémones dans une corne d'abondance en métal. Ces deux fleurs mélangées dans un pot de porcelaine blanche à motifs de gui composent une splendide nature morte incandescente.

Une moisson de mousse

La mousse est un matériau végétal que l'on peut utiliser en décoration de mille et une façons. Achetez-en chez un bon fleuriste, ramassez-en dans votre jardin, ou dans la nature. Piquées dans de la mousse verte, beaucoup de fleurs paraîtront plus belles encore. Des petits contenants remplis de cette mousse feront un ravissant présentoir pour une unique fleur. Vous pouvez aussi remplir de mousse un plat creux et long, et y piquer quelques fleurs à intervalles réguliers. Utilisez de la mousse pour dissimuler vos bulbes quand vous les faites fleurir en intérieur, pour cacher la mousse synthétique ou le grillage servant à maintenir vos bouquets. Recouvrez l'extérieur de vos vases avec de grandes plaques de mousse que vous fixerez avec un mince fil d'acier qui disparaîtra dans l'épaisseur de celle-ci. Enfin, n'oubliez pas de vaporiser souvent votre mousse afin qu'elle demeure verte, et sèche plus lentement.

CI-CONTRE Vases recouverts de mousse fraîche.
CI-DESSUS, à gauche Petites salières remplies de mousse avec une fleur et un long ravier où sont piquées des fleurs à intervalles réguliers.
CI-DESSUS, à droite De la mousse pour dissimuler des bulbes de jacinthe.

INDEX